KB178162

쇠사슬 공장

오스기 사카에

Translation Copyright© 2024 YI EUN All rights reserved.

<들어가면서>

  *본문에 병기된 영문 표기 중 소문자로 시작되는 것은 원문 그대로 옮긴 것입니다.
  *고유명사는 일본어 표기법에 맞추어 표기하였으며 'つ'에 한하여 '쓰'가 아닌 병기를 허용하는 '츠'로 하였습니다.

목차

쇠사슬 공장

밤중에 문득 눈을 떠보니 본 적 없는 곳에 있었다.

시야에 들어오는 수많은 인간이 우글우글 몰려서 모두 제각기 동일한 일을 하고 있었다. 쇠사슬을 만들고 있던 것이다.

바로 옆에 있는 녀석이 상당히 길게 이어진 쇠사슬을 자신의 몸에 한 바퀴 두르고 난 후에 사슬 선단을 옆에 있는 녀석에게 건넸다. 옆에 있던 녀석은 다시 그것을 길게 늘여 자신의 몸에 한 바퀴 두르고 난 후 또다시 맞은편 옆에 있는 녀석에게 사슬을 건넸다. 그러는 사이에 처음 본 녀석은 옆에 있는 녀석에게 쇠사슬을 재차 받아서 조금 전과 똑같이 자신의 몸에 한 바퀴 두르고 나서 또다시 자기 반대편 옆에 있는 녀석에게 건네고 있다. 모두가 이런 식으로 같은 일을 반복하고 또 반복했는데 그것은 눈이 돌아갈 정도로 빠르게 이루어졌다.

이미 모든 사람이 열 겹이든 스무 겹이든 몸 전체에 쇠사슬을 두르고 있었고 옆에서 지켜본 바로는 옴짝달싹하지 못할 것 같았지만, 쇠사슬을 만드는 것과 그것을 몸에 두르는 일을 할 때만은 손과 발이 자유롭게 움직이는 듯했다. 부지런히 그 일을 반복하고 있다. 다들 얼굴에는 아무 고통도 없어 보인다. 도리어 기쁜 것처럼 보이기까지 한다.

하지만 그렇지만도 않은 모양이다. 내가 있는 곳에서 열 명정도 건너편에 있는 녀석이 큰 소리를 내며 쇠사슬 끝을 집어던졌다. 그러자 다른 이들처럼 몸 전체에 쇠사슬을 두르고 옆에 서 있던 녀석이 저벅저벅 그 녀석에게 다가가더니, 들고 있던 두꺼운 곤봉을 서너 번 휘둘렀다. 근처에 있던 다른 이들은 드문드문 소리를 내며 기쁘게 소리쳤다. 앞에 있던 녀석은 울면서 다시 쇠사슬 끝을 주워 작은 원을 만들더니 끼우는 걸 반복했다. 그리고 어느샌가 그의 눈물도 마르고 말았다.

여기저기에서 모두가 동일하게 몸 전체를 쇠사슬로 둘렀지만 다른 이들에 비해 다소 풍채가 좋은 녀석이 서 있었고, 어쩐지 축음기와도 같은 누리끼리한 소리를 내며 쉴 새 없이 떠들어대고 있다. "쇠사슬은 우리를 보호하고 자유롭게 하는 신성한 것이다."라고 하는 의미를, 어려운 말이나 논리를 통해 늘어놓으며 떠들어대고 있다. 모든 이들은 감탄하며 듣고 있다.

그리고 넓은 들판과도 같은 공장의 정중앙에 멋들어지고 그럴싸한 차림을 한, 아마도 이 공장의 주인 일족으로 여겨지는 놈들이 소파 위에 누워서 시가인지 뭔지 연기를 뿜어내고 있다. 그 연기의 원이 때때로 노동자의 얼굴 앞으로 뭉게뭉게 날아와 주변의 모든 이를 끔찍할 만큼 숨 막히게 하였다.

본 적 없는 곳이라고 생각하고 있는데 어쩐지 내 몸 마디마디가 아파 왔다. 유심히 보니 내 몸에도 열 겹 스무 겹이나 되는 쇠사슬이 감겨 있다. 그리고 나 역시 부지런히 쇠사슬 고리를 잇고 있다. 나 또한 공장 노동자 중 한 명이었던 것이다.

나는 나 자신을 저주했다. 슬퍼했다. 그리고 분노했다. 나는 헤겔의 말을 떠올렸다. "존재하는 모든 것엔 이유가 있다. 이유 있는 모든 것은 존재한다."

빌헬름 1세와 그의 충실한 신하는 이 말을 당시의 독재 정부, 경찰 국가, 봉인장 재판[1], 언론 압박 등, 말 그대로 모든 정치적 사실에 철학적인

---

1) 18세기 중엽 국왕권의 독단적인 형태였던 봉인장 제도는 봉인장을 발부하여 누구든지 재판 없이 투옥하거나 유폐, 국외 추방을 할 수 있었다.

축성을 부여한 것으로 해석했다고 한다.

정치적인 사실만이 아니다. 모든 것이 그렇다. 저 우둔한 프로이센 인민에게는 모든 현실이 필연이고 일리 있는 것이었다.

자신의 손으로 본인의 쇠사슬을 주조하고 스스로 자신을 속박하는 동안 어차피 이러한 현실은 필연이고 이치에 맞는 일이며 지당한 일인 것이다.

나는 이제 자신의 쇠사슬 주조를 관둬야만 한다. 스스로를 속박하는 일을 그만둬야만 한다. 자신을 속박하는 쇠사슬을 깨부숴야만 한다. 그리고 새로운 자신을 구축하고 새로운 현실과 이유, 인과를 창조해야만 한다.

나의 머리를 감고 있던 대부분의 쇠사슬은 생각보다 쉽게 풀렸다. 하지만 나의 손발을 묶은 쇠사슬은 완고하게 살 속에, 때로는 뼛속까지 파고들어 있었기에 살짝 건드렸을 뿐인데도 고통스러워서 견딜 수가 없었다. 그래도 끈질기게 참으며 조금은 풀어낼 수 있었다. 그 후에는 그렇게 아프기만 했던 것에서 속이 시원한 느낌을 받기도 했다. 감시하는 놈들의 곤봉도 서너 번 정도라면 아무렇지도 않게 견뎌낼 수 있게 되었다. 주변에 있는 놈들의 조소나 욕설은 자진해서 기꺼이 자초하고 싶을 정도였다.

하지만 나 혼자 내 쇠사슬을 풀려고 해도 풀 수 없는 쇠사슬이 잔뜩 있다. 나와 다른 사람의 쇠사슬은 교묘하게도 서로서로 연결되어 있다. 어찌할 방도가 없다. 게다가 조금이라도 게으름을 피우고 있노라면 모처럼 고심하여 풀어낸 쇠사슬이 다시 자연스레 나의 몸에 휘감겨 있다. 저도 모르는 사이에 내 손은 또다시 고리를 연결하고 있다.

공장의 주인 놈들은 우리 위장의 열쇠를 쥐고서 그 열쇠를 이용하는 방식으로 우리의 손발을 조종하고 있다. 지금까지 나 스스로가 손발을 움직이는 것이라고만 생각했으나 전혀 그렇지 않았다. 주위를 둘러보는 한, 그 누구의 손발도 본인의 머리로 좌지우지되고 있는 자는 없었다. 모두 자신들의 위장 열쇠를 저당 잡혀 있었고 자유자재로 조종당하고 있다. 상당히 바보 같은 이야기지만 사실이니 어쩌겠는가.

그래서 나는 내 위장 열쇠를 놈들의 손아귀에서 되찾으리라 생각했다. 하지만 이번에도 나 하나만의 위장 열쇠를 놈들에게서 빼앗아 오는 것은 아무래도 불가능했다. 당연히 나와 다른 이들의 위장 열쇠는 놈들의 수중에서 교묘하게 서로서로 연결되어 있었고 무슨 짓을 해도 나 혼자서는 빼낼 방법이 없었다.

또한, 놈들 주변에는 여러 명의 파수꾼이 있다. 모두 쇠사슬을 몸 전체에 감고서 창과 활 따위를 들고 서 있다. 두려워서 접근하는 자는 없다.

나는 완전히 희망을 잃었다. 그리고 내 주변에 있는 노예를 보았다.

쇠사슬로 속박당한 것조차 모르는 녀석들이 아주 많다. 알고 있다고 해도 그것을 고마운 것으로 생각하는 이들도 아주 많았다. 고맙다고 생각하지는 않지만 하는 수 없다고 포기하고 부지런히 쇠사슬을 만들고 있는 녀석도 널려 있다. 쇠사슬을 만드는 것도 바보 같아져서 감시의 틈을 엿보며 틈틈이 손을 놓고 자신의 머릿속에서 날조한 공상과 몽상을 떠올리며 '나는 쇠사슬에 속박당하고 있지 않다. 나는 자유로운 인간이다.'라는 둥 열이 올라 헛소리를 하는 녀석들도 많았다. 너무나 바보 같아서 눈 뜨고 보고 있을 수가 없다.

갑작스레 나는 눈을 크게 뜨고 내 동료로 보이는 녀석들을 바라보았다.

머릿수도 적다. 그리고 여기저기에 흩어져 있다. 하지만 녀석들은 모두 주인의 수중에 있는 우리의 위장 열쇠만 노리고 있는 것 같다. 그리고 나처럼 자기 열쇠만 빼앗는 것은 힘들겠다고 단념한 것인지 끊임없이 근처에 있는 노예에게 귓속말을 건네며 단결을 설파하고 있다.

"주인의 숫자는 적다. 머릿수는 우리가 많다. 중

과부적이다. 우리가 똘똘 뭉쳐서 하나가 된다면 일격에 저 열쇠를 빼앗을 수 있다.”

“하지만 정의와 평화를 주장하는 우리는 폭력을 삼가야만 한다. 평화적인 수단을 선택해야만 한다. 그러면서도 쉽게 시도할 방법이 없는 건 아니다.”

“우리는 매년 한 번 우리의 대표자를 주인 쪽에 보내놓고 우리의 생활에 대한 모든 일을 결정한다. 지금이야 저 회의에 참석하는 건 모조리 주인 쪽 대표자지만 앞으로는 우리를 대변하는 진정한 대표자를 참석시키도록 힘을 써서, 저 회의의 다수당을 차지하여 우리가 생각하는 대로 의결하면 된다.”

“다들 얌전히 쇠사슬을 만들고 있으면 된다. 쇠사슬을 두르고 있으면 된다. 그리고 몇 년 후에 대표자를 선출할 때 우리의 대표자에게 투표하면 된다.”

“우리의 대표자는 우리의 쇠사슬을 점차 느슨하게 해줌과 동시에 최종적으로 우리의 위장을 쥔 열쇠를 주인의 손에서 빼앗을 것이다. 그리고 우리는 이 쇠사슬을 우리 대표자의 손에 넘기고 스스로 이상적이라고 생각하는 새로운 조직과 제도를 가진 공장에 들어가면 된다."

나는 일단 타당한 제안이라고 생각했다. 하지만 단순히 머릿수에 기대고 있다는 것과 자신보다도 타인을 의존하고 있는 부분 등이 아무래도 마음에 들지 않는다. 그리고 과학적이라느니 하는 철학을 듣고 있으려니 그들 역시 나의 동료는 아니라는 걸 알았다.

이들은 무시무시한 Panlogists[2]다. 그리고 무서울 정도로 기계적인 정명론자다. 자신들이 이상으로 생각하는 새로운 공장 조직이 경제적 행정의 필연적 결과로서 현 공장 조직의 자연적 후계자로 나타난 것이라고 믿었다. 따라서 그들은 단순히 이러한 경제적 행정에 따라 공장의 제도나 조직을 바꾸면 된다고 믿었다.

---

2) 범 논리주의자/범 이론주의자

무엇보다, 나도 어느 쪽이냐 하면 Panlogists다. 기계적인 정명론자다. 하지만 나의 논리에는, 나의 기계적인 정명론에는 상당히 다양한 미지수가 포함되어 있다. 내 이상의 실현은 이 미지수가 판연하지 않을 동안에는 필연이 아니다. 그저 작은 가능성을 띤 개연인 것이다. 나는 그들처럼 미래를 낙관할 수 없다. 나아가 미래에 대한 나의 비관은 현재의 내 노력을 독려한다.

이른바 내 미지수의 대부분은 인간 그 자체다. 생의 발전 그 자체다. 생의 노력 그 자체다. 좀 더 자세하게 말하자면, 자아의 노력과 권위를 자각하고 질릴 일 없는 발전을 위하여 싸우는 노력 그 자체를 일컫는다.

경제적 행정이 우리 공장의 미래를 정하고 거대한 동력이라는 사실은 의심치 않는다. 그러나 그러한 행정의 결과로서 어떠한 조직과 제도를 가져와야 하는지는 이 미지수, 다시 말해 우리들의 노력과 노력에 관계된 무엇이 결정하는 것이다. 조직과 제도라고 하는 것은 인간과 인간의 접촉을 구체화한 것에 불과하다. 영[3]과 영의 접촉, 영과 영의 관계는 무슨 짓을 해도 요컨대 영으로 귀결되는 것이다.

하지만 오늘날 이미 만들어져 있는 조직과 제도에 대하여 대부분이 만능이라고 해야 할 어마어마한 세력에 대하여 나는 소름 끼치도록 두려워하지 않을 수 없다. 그것의 파괴를 간과하고 개인의 완성을 사칭하는 이들은 꿈속에서 꿈을 꾸고 있는 격이다.

게으른 자에게 비약은 없다. 게으른 자는 역사를 창조하지 않는다.

나는 다시 한번 내 주변을 둘러보았다.

대부분 게으른 자들밖에 없다. 쇠사슬을 만드는 것과 그것을 자신의 몸에 두르는 것에는, 다시 말해 타인에 의해 좌우 당하는 일을 할 때는 부지런

---

3) 숫자 0.

히 움직이지만 자신의 머리로 생각하여 스스로 움직이고 있는 자는 전무하다. 이들을 아무리 많이 모은다고 해도 어떤 활약을 할 수 있을까. 무슨 창조를 할 수 있단 말인가.

이미 어리석은 대중에게는 절망했다.

나의 희망은 그저 내게 달렸다. 자아의 노력과 권위를 자각하고 다소의 자기 혁명을 거쳐 자기 확장을 위하여 노력하고 분투하는 극소수의 사람들에게 달려 있다.

우리는 우리들의 위장 열쇠를 쥐고 있는 놈들을 향해, 놈들의 생각대로 만들어진 이 공장의 조직과 제도를 향해 야수와도 같이 부딪쳐 나가야만 한다.

우리는 두렵게도 마지막까지 극소수에 불과할지도 모른다. 그러나 우리에게는 발의와 노력이 있다. 그리고 이러한 노력에서 파생된 활동 경험과 그에서 피어난 이상이 있다. 우리는 어디까지고 싸운다.

전투는 자아의 노력하는 연습이다. 자아가 지닌 권위의 시금석이다. 우리들의 영향권 안에 게으른 자를 서서히 끌어들이며 그들을 전사로 변화시키는 자철磁鐵[4]인 것이다.

이와 같은 전투는 우리네 생활 속에 새로운 의의와 힘을 만들어내어 우리가 건설하고자 하는 새로운 공장의 싹을 틔울 것이다.

아아, 나는 이론을 너무 많이 말했다. 이론은 쇠사슬을 풀지 않는다. 이론은 위장의 열쇠를 빼앗아주지 않는다.

쇠사슬은 점점 빡빡하게 우리를 조여왔다. 위장의 열쇠도 점점 굳게 조여왔다. 게으르고 어리석은 군중도 점차 괴로워하기 시작했다. 자각 있는 전투적인 소수자의 노력은 바로 지금이다. 우리는 우리의 손발을 휘감고 있는 쇠사슬을 버리고 섰다.

---

4) 산화철로 이루어진 산화 광물. 검은색을 띠며 금속광택이 있고 광물 가운데 자성이 가장 강하다. 중요한 제철 원료로 사용된다.

나는 눈을 떴다. 이미 날도 밝고, 팔월 중순 아침 햇살이 아직 잠에서 덜 깬 내 얼굴을 비추고 있다.

정복 사실

쵸규樗牛5) 전집에 브란데스의 어떤 책에서 발췌했다고 하는 다음과 같은 문장이 있다.

유럽 4대 민족의 이름은 모두 외국에서 따왔다. 프랑스의 명칭은 라인강 서안에 살던 프랭크인에서 유래했으며 이 민족의 조상인 고대 켈트족과 아무 관련이 없다. 영국은 옛 독일의 한 지방에서 유래했으며 앵글로색슨 민족과 아무런 혈연관계가 없다. 러시아라는 이름은 본래 북방

---

5) 메이지 시대 일본의 문학평론가이자 사상가. 처음에는 일본주의를 주장했으나 니체의 영향을 받아 개인주의로 전환.

에 기원을 두고 스칸디나비아의 한 민족인 로제를 그들의 방식으로 읽은 것이다. 프러시아는 프로이센이라는 슬라브의 어느 야만족의 이름이며 12세기 말 무렵 독일에 들어간 것이다.

이 사실은 내가 지금 여기서 서술하고자 하는 것과 관련이 있을 수도 있고 상관없는 것일 수도 있다. 그러나 이를 읽은 그때의 나 자신에게는 깊은 사회적 사실을 연상하게 하는 강력한 암시였다.

정복이다! 나는 이렇게 외쳤다. 사회는, 적어도 오늘날 사람들이 말하는 사회는 정복에서 시작된 것이다.

카를 마르크스와 프리드리히 엥겔스는 공저 『공산당 선언』의 서두를 이렇게 쓰고 있다. 모든 사회의 역사는 계급 투쟁의 역사라고 말이다. 그러나 이러한 계급 투쟁 이전에 이미 종족 간 투쟁이 존재하였다. 그리고 거기서 이 정복이라는 사실이

등장했다.

　인류가 아직 동물의 영역에 있었을 때, 거주지는 아마도 열대지방 어딘가에 있었을 것으로 추정된다. 그리고 여러 사실이 인류의 시초가 나타난 지역이 남아시아라고 증명하고 있다.

　여기서 초기 인류는 자연의 풍요로움과 따스한 세상에서 동물과 같은 생활을 영위하면서도 환경을 다소 변경하거나 타 육식동물을 피하거나 혹은 따돌릴 수 있는 충분한 지식이 있었기에 빠른 속도로 번식할 수 있었다. 그리고 혈연관계에서 비롯된 각 집단의 인구가 증가하여 서로 접촉하고 충돌하게 되면 그 집단은 자유롭게 사방팔방으로 이주하였다. 그렇게 오랜 시간 동안 원시 인류 사이에는 안락과 평화가 이어졌다. 이 시대가 흔히들 말하는 이른바 황금시대였던 것이다.

　그들 중 어느 집단은 마침내 멀리, 어쩌면 섬으로 이주하여 타 집단과 접촉하지 않았다. 따라서 아무 간섭도 받지 않은 채 단순한 동물과도 같은 생활을 이어갔다. 오늘날에도 세계 곳곳에 남아 있는 원시인 종이 바로 이들이다. 그러나 멀리 중심지를 벗어나지 않았던 집단들 사이에서 인구의 급속한 증가와 함께 상호 접촉과 충돌이 발생하게 되었다. 그리고 이때 기존의 평안하고 동물 같은 자유로운 생활을 소실하고 이른바 문명이 탄생한다. 역사가 시작되었던 것이다.

그러는 사이에 이들 각 집단은 공통된 기원의 전승과 흔적을 잃었고, 각기 다른 언어와 풍습과 종교를 가지게 되어 전혀 다른 종족을 형성하게 되었다. 그리고 각 종족은 서로 접촉할 때마다 충돌이 생기고 전쟁이 되어 잔혹한 원수 사이가 되었다.

이 형세는 발명, 그것도 주로 공격과 방어의 방법을 생산하기 시작한 발명의 유력한 자극이 되었다. 예나 지금이나 전쟁의 승패는 개인의 용맹함

보다는 무기의 기계적 우열로 결정되었다. 그에 따라 무예도 발달하였다. 야심 찬 추장들은 공략법을 가지고 서로 경쟁하기 시작했다.

굼플로비치(Gumplowicz6))와 라첸호퍼는 종족 간 투쟁을 통해 사회가 탄생했음을 절묘하게 논증한다. 종족 투쟁의 첫 번째 단계는 한 종족이 타 종족을 정복하는 것이다. 타 종족보다 뛰어난 무기와 전략적 재능을 가진 일족이 승리를 거머쥐고 정복자가 된다. 그리고 타 종족은 피정복자 상태로 전락한다.

이러한 정복으로 인해 전혀 다른 두 종족이 밀접하게 접촉하게 된다. 그러나 그들은 결코 동화될 수 없다. 말하자면 그 사회는 양극단으로 나뉘는 것이다. 정복자는 필연적으로 피정복자를 경멸하고 온갖 방법을 동원하여 노예화한다. 피정복자 또한 어쩔 수 없이 복종하면서도 정복자의 폭력 외에는 아무것도 인정하지 않는다. 이처럼 서로를

---

6) 폴란드의 사회학자, 법학자, 역사학자, 정치학자.

적대시하고 반감을 지닌 두 종족이 극단적인 사회를 만들어 낸다.

그러나 두 종족의 불평등은 지위의 그것 이상으로 존재한다. 앞서 서술한 바와 같이 본래 이들은 전혀 다른 종족인 것이다. 그들은 다른 언어를 사용하고 다른 신을 숭배한다. 상이한 예법과 예배를 한다. 다른 풍속과 관습, 제도가 있다. 그리고 피정복 종족은 그들 중 어느 하나라도 잃어버리는 것보다는 차라리 절멸하기를 원한다. 정복 종족은 그들이 가진 모든 것에 대하여 절대적으로 경멸한다. 그러나 그것을 결코 자신의 것으로 동화시킬 수는 없다.

이런 점에 있어서 양극단의 조화, 그보다는 도리어 정복자가 진정으로 피정복자를 정복하려는 방편으로 사회의 다양한 제도가 생겨났다.

피정복자의 모든 행위에 대해 끊임없이 병력을 사용하는 어려움과 비용, 부분적인 실패는 결국

정복자의 큰 부담으로 작용하였다. 한때는 승리의 자만심에 사로잡혀 권위에 대한 모든 반역자를 색출하여 엄벌을 내리기도 했지만, 결국 이런 식으로 하나하나를 따로따로 지배하는 것이 성가셨기에 통치하는 방법을 생각하게 되었다.

즉, 가장 흔히 발생하는 행위를 억압하기 위하여 일반적인 규칙을 정하는 것을 찾아낸 것이다. 그리고 이 방법이 경제적이라고 판명된 후, 다른 광범위한 종류의 행위에도 일반적인 규칙이 만들어지게 된다. 그리하여 오늘날의 법치적 지배의 토대가 마침내 완성되었다. 이 법률의 범위 안에서 피정복자는 어느 정도 자유롭다. 다시 말해 법률에 복종하는 것이 피정복자의 의무이고, 이를 위반하지 않는 행위가 그 권리로 인정받게 된 것이다.

이와 동시에 또다시 정복자 계급의 교육이라는 것이 실시되었다. 두 계급의 불평등을 유지하기 위해서는 애초에 피정복자 계급이 모든 면에서 열등한 종족이라는 관념을 피정복자 계급의 마음속에 반드시 심어 놓아야만 한다. 만일 피정복자 계급이 조금이라도 이에 의심을 품게 된다면 그것은 사회의 안녕과 질서를 크게 어지럽히는 분란의 씨앗이 될 것이다. 따라서 이러한 관념을 강제하기 위하여 각종 정책이 시행되었다. 이른바 국민 교육의 기원이자 근간이 되는, 조직적인 기만을 위한 다양한 방법이 시행되었던 것이다.

그러나 이것만으로 해결되는 단순한 문제가 아니다. 본래 정복당하게 된 것은 단순히 우연에 따른 일이거나 전쟁술이 서툴렀기 때문이다. 다른 부분에서 정복자가 우수했기 때문일지도 모른다. 그래서 정복자는 이해관계가 판이한 피정복자를 통치하는 어려움에서 벗어나기 위하여 피정복자 중 어떤 이들의 도움을 원하게 된다. 피정복자 중에도 어느 정도 특권을 얻을 수 있기에 이에 응하는 자들이 자연스레 생겨난다. 즉, 피정복자 중 지식인이 정복자 계급에 합류하여 정복 사업에 협력하게 되는 것이다. 그리고 권리와 의무가 양 계급 사이에 생기는데, 더욱 적절하게 표현하자면 정복자 계급과 피정복자 계급의 일부에 다소 상호적이 된다.

상호적이라는 것은 아직 불평등이 생기지 않은 피정복자 계급에 대한 완벽한 기만 수단이었던 것이다. 즉, 지식인은 말한다.

[보라, 이제 우리 부족은 정복 계급만으로 이루어진 부족이 아니다. 그들은 이미 과거의 잘못을 깨닫고 피정복자 계급인 우리에게 참정권을 주었다. 만인은 법 앞에 평등하다.]

한편으로 다양한 사정은 정복자로 하여금 여러 가지를 양보하게 함과 더불어 피정복자로 하여금 공허한 자부심을 품게 하고 포기하게끔 한다. 그리고 두 계급 사이에 점진적으로 피상적 타협을 진행해 나간다.

나는 지금 이러한 정복 사실에 대해 자세히 서술할 여유가 없다. 그러나 상술한 사실들은 정직한 사회학자라면 아마 누구도 부인할 수 없는 사실일 것이다.

역사는 복잡하다. 그러나 복잡함을 관통하는 단순함은 존재한다. 예를 들어 정복의 형식은 다양하다. 그러나 예나 지금이나 모든 사회에는 반드시 양극단에 정복자와 피정복자 계급이 자리하고 있다.

재차 『공산당 선언』의 말을 빌리자면 '그리스의 자유민과 노예, 로마의 귀족과 평민, 중세의 영주와 농노, 동업조합원과 피고용인'은 이와 상통한다. 그리고 근세에 접어들면서 사회는 자본가라는 정복자 계급과 노동자라는 피정복자 계급으로 양분되었다.

사회는 진보하였다. 따라서 정복 방법도 발전했다. 폭력을 사용하고 속이는 방법은 점점 더 교묘하게 조직화 되었다.

정치! 법률! 종교! 교육! 도덕! 군대! 경찰!

재판! 의회! 과학! 철학! 문학! 기타 모든 사회적 제도!!!

그리고 양극단에 있는 정복자 계급과 피정복자 계급의 중간에 존재하는 각종 계급의 사람들은 원시시대의 지식인과 마찬가지로, 혹은 의식적이거나 무의식적으로, 이러한 조직적 폭력과 속임수의 협력자이자 조력자가 되고 있다.

정복한 사실은 과거와 현재 그리고 가까운 미래의 수천 혹은 수만 년에 걸친 인류 사회의 근본적인 사실이다. 정복이 명확하게 의식되지 않는 한, 사회의 어떤 사건도 정당하게 이해될 수 없다.

민감하고 명석하다는 것을 뽐내며 개인적 권위의 절대성을 외치는 문인들이여. 너희들의 이 특징이 정복 사실과 그에 대한 반항을 다루지 않는 한, 너희들의 작품은 놀이이자 허황된 것에 불과하다. 우리의 일상생활까지 압박해 오는 이와 같은 사실의 무게를 잊고자 하는, 포기에 다름 아닌 것이다. 조직적 기만행위의 유력한 한 축을 담당

하는 것이다.

　악의적으로 우리의 눈을 흐리게 하는 정적인 아름다움은 더는 취급하지 않겠다. 우리는 엑스터시와 동시에 열의를 낳는 동적인 아름다움을 추구하고 싶다. 우리가 요구하는 문예는 그 사실에 대한 증오미와 반역미의 창조적 문예이다.

삶의 확충

'정복 사실'에 입각하여 '과거와 현재, 가까운 미래의 수만 혹은 수천 년 동안의 인류 사회의 근본적인 사실'인 정복에 대하여 설파하고, 이것이 명료하게 의식되지 않는 한 사회의 어떤 사건도 명확하게 이해해서는 안 된다고 단언하겠다.

그리고 이 논의를 예술계에도 확대하여 정복 사실과 그에 대한 저항을 다루지 않는 한, 너희들의 결실은 놀이고 장난에 불과하며, 우리의 일상생활까지 압박해 오는 이러한 무거운 사실을 잊게 하려는 체념인 것이다. 조직적인 기만행위라고 볼 수 있는 주범이라고 정의하면서 마지막으로 다음과 같은 결론을 내렸다.

"악의적으로 우리의 눈을 흐리게 만드는 정적인 아름다움은 더는 취급하지 않겠다. 우리는 엑스터시와 동시에 열의enthousiasme를 낳는 동적인 아름다움을 추구하고 싶다. 우리가 요구하는 문예는 그 사실에 대한 증오미와 반역미의 창조적 문예이다."

이제 나는 이 문제에 대하여 세 항목의 연결을 좀 더 긴밀하게 하고, 나의 주장에 내용적 명료성을 가미하고 싶다.

삶이라는 것, 생의 확장이라는 것은 두말할 나위 없이 근대 사상의 기조다. 근대 사상의 알파이자 오메가인 것이다. 그렇다면 생이란 무엇이고 생의 확장이란 무엇인가. 우선 의미부터 생각해보아야 한다.

생에는 넓은 의미와 좁은 의미가 있다. 나는 지금 가장 협소한 개인적인 생의 의미를 가져오겠다. 개인적 삶의 정수는 자아다. 자아는 한마디로 일종의 힘을 말한다. 역학적 힘의 법칙을 따르는 어떤 힘을 지칭한다.

힘은 즉시 동작으로 나타나야만 한다. 어찌 보면 힘의 존재와 동작은 동의어인 것이다. 따라서 힘의 활동은 피할 수 없다. 활동 자체가 힘의 전부인 것이다. 활동은 힘의 유일한 모습이다.

그러므로 우리 삶의 필연적 논리는 우리에게 활동과 확장을 지시한다. 어찌 보면 활동이란 존재를 공간으로 전개하고자 하는 것에서 벗어나지 않는다.

그러나 생의 확장은 충실함이 수반되어야 한다. 도리어 충실함이 확장을 강제하는 것이다. 그러므로 충실함과 확장은 합일이어야만 한다.

그리하여 생의 확장은 우리 삶의 유일한 의무가 된다. 우리 삶의 집요한 요구를 만족시키는 것은 오직 가장 유효한 활동뿐이다. 생의 필연적 논리는 생의 확장을 방해하려고 하는 모든 타자를 제

거하고 파괴하라고 우리에게 지시한다. 그리고 이
명령을 거역할 때 우리의 삶과 자아는 정체되고
부패하며 파멸한다.

　삶의 근본적인 성질은 생의 확장에 있다. 원시
이래 인류는 이미 생의 확장을 위하여 타자와 투
쟁하거나 그를 이용하는 것을 지속했다. 나아가
인류끼리도 각자의 생의 확장을 위하여 서로의 투
쟁과 이용을 계속해 왔다. 그러나 인류의 투쟁과
이용이 더욱 발전해야 할 인류에 대한 지식의 광
명이 되지 않고, 생의 길을 잃게 한 것이다.
　인류 간의 투쟁과 이용은 오히려 서로의 생의
확장을 가로막는 장애물이 되었다. 즉, 잘못된 방
식의 투쟁과 이용의 결과, 동류 사이에 정복자와
피정복자의 양극이 생겨났다. 이것에 대해서는 앞
서 '정복 사실'에서 상세히 논한 바 있다.
　피정복자의 생의 확장은 거의 다 거세되었다. 그
들은 자아를 대부분 잃었다. 그들은 그저 정복자

의 의지와 명령에 따라 움직이는 노예가 되었고 도구로 전락하였다. 자신의 삶, 본인 자체의 발전을 멈춘 피정복자는 순식간에 타락하고 부패할 수밖에 없다.

정복자 역시 마찬가지다. 노예의 부패와 타락은 결국 주인에게도 영향을 끼칠 수밖에 없다. 노예에게 노예의 비열함이 있다고 한다면 주인에게는 주인의 비열함이 또 있다. 노예에게 비굴함이 있다고 한다면 주인에게는 오만함이 있다. 이를테면 노예는 소극적으로 삶을 훼손하고 주인은 적극적으로 해친다는 차이가 있을 뿐이다. 사람으로서 생의 확장을 방해하는 것은 모두 동일하다.

또한 인류의 투쟁과 이용은 인류가 타자와 투쟁하고 이용하는 데 큰 지장을 초래하였다.

이와 같은 양극단의 생의 훼손이 파멸을 초래하려고 할 때 언제나 침략 혹은 혁명이 일어난다. 비교적 건전한 삶을 영위하는 중간계급이 주도권을 쥐고 피정복자 계급의 구제라는 명목을 가지고 그들의 도움을 받아 일을 벌인다. 혹은 피정복자 계급의 절망적인 반란이 되는데 중간계급에 의해 이용되어 일이 벌어진다. 그에 따른 당연한 결과는 항상 중간계급이 새로운 주인이 되는 것으로 마무리된다. 인류의 역사는 단적으로 이것의 반복이라고 할 것이다. 반복될 때마다 약간의 진화를 거친다고 하는 그러한 반복인 것이다.

그러나 최종적으로 인류는 원시로 돌아가는 법이 없다. 인류가 아직 주인과 노예로 나뉘지 않았던 원시로 돌아가지 않는다. 자아의식이 없었던 원시 자유의 시대로, 나아가 충분한 자아의식을 가진 상태로 돌아가는 법이 없다. 창대한 의미를 지닌 역사의 반복이라는 걸 모른다.

오랫동안 주인과 노예의 사회에 잠식된 인류는 주인과 노예가 없는 사회를 상상할 수 없었다. 사람 위에 선 사람의 권위를 배제하고 우리 스스로가 관장하는 것이 생의 확장을 위한 최고의 수단이라는 것을 생각해내지 못했다.

그들은 주인을 선택할 뿐이다. 주인의 이름을 바꾸었다. 결과적으로 근본적인 정복 사실 자체에 감히 날을 세우지 않았다. 이것이야말로 인류 역사상 최고의 패착이다.

우리는 이제 이와 같은 역사의 반복을 끝내야만 한다. 수천, 수만 년의 순례pilgrimage는 이미 우리에게 반복한다는 것에 대한 어리석음을 알려주었다. 우리는 이러한 반복을 끝내기 위하여 마지막으로 남을 창대한 반복을 시행해야 한다. 개인으로서의 진정한 삶의 확대를 위하여, 인류로서의 진정한 생의 확장을 위하여.

이제 근대 사회의 정복 사실은 거의 정점에 이르렀다. 정복자 계급 자체도, 중간계급도, 피정복자 계급도 모두 이 사실의 무게를 견딜 수 없게 되었다. 정복자 계급은 과도한 혹은 비정상적인 생의 발전으로 괴로워하기 시작했다. 피정복자 계급은 억압된 삶의 질식으로 인해 괴로워하기 시작했다. 마지막으로 중간계급은 두 계급이 가진 모든 고뇌에 시달려 왔다. 이것이 근대에 있어서 삶에 대한 고뇌의 주된 원인이다.

　살아가기 위해서는 정복 사실에 대한 증오가 생겨나야만 한다. 나아가 증오가 반란으로 이어지고 새로운 삶의 요구가 일어나야만 한다. 사람 위에 사람의 권위를 두지 않는, 자아가 자아를 관장하는 자유로운 삶의 요구가 생겨나야만 한다. 결과적으로 소수자들 사이에서, 특히 피정복자 중 소수자들 사이에서 이러한 감정과 사상 그리고 의지가 생겨났다.

　생에 대한 우리의 투철한 요구를 만족시키는 가장 효과적인 유일한 활동으로써 가장 먼저 정복 사실에 대한 반역이 나타났다. 나아가 정복 사실에서 비롯되었다고 할 수 있는, 우리 생의 확장을 방해하는 모든 것에 대한 파괴가 나타났다.

　생의 확장 속에서 삶의 지고한 아름다움을 보는 나는 이러한 반역과 파괴 속에서만 생의 지고한 현재의 아름다움을 본다. 정복 사실이 정점에 도달한 오늘날, 해조諧調[7]는 더 이상 아름답지 않다. 아름다움은 난조亂調에 있다. 해조는 거짓이며 진실은 난조에 있다.

이제 생의 확장은 오직 반란을 통해서만 도달할 수 있다. 새로운 삶과 사회의 창조는 오직 반역에 의해서만 가능하다.

나 자신의 삶에서, 이러한 반역과 함께 무한한 아름다움을 향유하고 있다. 그리고 내가 말하는 실행하는 예술적 의의 또한 요컨대 여기에 있다. 실행이란 삶의 직접적인 활동이다. 그리고 두뇌의 과학적 정교함을 갖춘 근대인의 실행은 이른바 '진심이 아닌' 그것이 아니다. 전후 맥락적으로 사려 깊지 못한 실행이 아니며 주먹구구식인 것도 아니다.

다년간의 관찰과 사색에 따라 가장 유효한 삶의

---

7) 조화로움.

활동이라고 믿은 실행을 말한다. 실행한 전후 맥락은 말할 것도 없고, 실행 중에도 당면한 사건의 배경이 충분히 머릿속에 박혀있는 것이다. 실행에 수반되는 관조가 있다. 관조에 수반되는 황홀함이 있고 황홀함에 동반되는 열정이 있다. 이 열정은 또 다른 새로운 실행을 불러일으킨다. 거기에는 단일한 주관과 객관조차 더는 존재하지 않는다. 주관과 객관이 합치한다. 이것이 혁명에 대해 깨달은 경지다. 예술의 경지다.

그리고 이 경지에 있는 한, 온 마음을 다하여 정복 사실에 대한 나의 의식은 가장 명료해진다. 나의 자아는, 나의 삶은 가장 확실하게 정립된다. 그리고 이것을 경험할 때마다 나의 의식과 자아는 점점 더 명료해지고 명확해진다. 생의 환희가 넘쳐난다.

내 생의 충실함은 동시에 내 생의 확장이기도 하다. 그와 동시에 인류에 의한 생의 확장인 것이다. 나의 생이란 활동 속에서 나는 인류의 그것을 본다.

가장 유효한 생의 활동 방향을 취하고 있는 것은 나 혼자만이 아니다. 진정으로 자신을 자각하고 자아와 주변의 관계를 자각한 사람들은 오늘날에도, 소수에 불과할지라도 이미 단호한 발걸음으로 이 길을 걷고 있다. 맹인 외에는 누구도 외면할 수 없는 미래 사회의 큰 흐름을 형성하고 있다.

사실에 입각한다는 요즘의 일본 문예가 어째서 사회의 근본적 사실, 그것도 오늘날 극단으로 치달은 정복에 대하여 언급하지 않는가. 삶의 근본적인 고민에 대하여 논하지 않는 것은 어째서인가. 한 걸음 더 나아가 왜 그에 대한 반역의 사실을 말하지 않는가. 어째서 새로운 삶, 새로운 사회의 창조를 다루지 않는 것인가. 확실한 사회적 지식의 토대 위에 구축된 철저한 증오미와 반역미의 창조적 문예가 어째서 나타나지 않는가.

나는 생이 요구하는 바에 맞추어 이와 같은 의
미의 경향적 문예와 과학을 요구하고 철학을 요구
하는 바이다.

새로운 질서의 창조
- 평론의 평론

1

  이번 달에도 평론하고 싶은 것은 찾지 못했다.
다만 『선구先驅』 5월호에 실린 「4월 3일 밤」(도모
나리 요사키치友成与三吉)이라는 글이 조금 눈길을 사
로잡았다.
  4월 3일 밤 간다神田의 청년회관에서, 문화학회가
주최한 언론탄압규탄 연설회가 있었는데, 거기에

우리가 항의하러 갔던 일을 쓴 글이다. 도모나리 요사키치라는 사람이 어떤 사람인지 모르겠지만, 눈과 귀가 꽤 좋은 사람인 것 같다. 내가 하지도 않은 행동과 말하지도 않는 것을 보고 들었다고 하니 말이다. 예를 들어 그 기사에 따르면, 가가와 토요히코賀川豊彦의 연설 중에 내가 여러 번 연단으로 뛰어 올라가 무슨 말을 했다고 한다.

일단 그건 그렇다고 치고, 한 가지 간과할 수 없는 것이 있다. 그것은 대기실에서 가가와 군과 내가 나눈 대화 중에 "나는 컨버세이션conversation의 역사를 조사해 보았다. 청중과 연설자는 대화할 수 있을 것이다."라고 말하자, 가가와 군은 "그게 대체 무슨 뜻이냐." 하고 반문한다. 이에 대해 내가 프랑스 의회를 예로 들면서 적당히 말했다고 하는 이 마지막 구절 말이다. 대충 말했다는 것이 무슨 뜻이란 말인가. 이 사람은 자신이 모르는 건 모조리 적당히 둘러대는 소리로 들리는 모양이다.

연설회에서 우리들의 야유 혹은 직설적인 발언

등에 대하여 세간에 악평이 자자한데 이 기회를
통하여 이러한 악평에 대한 악평을 해보고 싶다.

2

최근 고베神戸에서 가가와를 만났을 때 그는 우리
의 야유에 대해 비판하고, 사카이 도시히코堺利彦
의 말까지 인용하면서 지나치게 세간의 반감을 사
지 말라고 간곡하게 충고까지 덧붙였다.

그에 대해 가장 큰 반감을 품고 있었던 것은 경
찰관이었다.

경찰관은 대부분 필연적인 바보들이지만 그래도
직무 특성상 어떤 일에 대한 선악을 감지하는 예
민한 직관을 지녔다. 대체로 그들의 판단에 대해
맹목적으로 신뢰해도 무방할 것이다. 경찰관이 선
하다고 느끼는 것은 대체로 악한 것이다. 반대로
악하다고 감지하는 것은 대체로 선한 것이다. 이

와 같은 논리는 소위 지식인이라는 사람들에게 조금 이해하기 어려울지도 모르겠지만, 노동자들은 금방 알 수 있다. 적어도 노동운동에 어느 정도 경험이 있는 노동자들은 누가 가르쳐주지 않아도 잘 안다. 그리고 그것을 종종 자신의 판단 기준으로 삼는다. 다시 말해, 노동자의 상식이라고 할 수 있다.

상술한 노동자의 상식을 바탕으로 추론하면 우리처럼 직언하는 사람에게 반감을 보이는 것은 경찰관과 동일한 일을 하고 그러한 심리를 가진 인간이다. 우리는 그런 인간들과 싸움질하는 것 말고는 할 수 있는 게 없다.

3

본래 세상에는 위와 같은 인간이 상당히 많다.

이를테면 연설회에서 찬동하거나 박수갈채를 보

내는 것은 기꺼워하며 들으면서도 조금 반대하기라도 하면 곧장 경찰관과 함께 색출하라느니 때려잡으라는 소리를 내뱉는다. 뭐든지 앞에 나선 주도자의 말에 따라서 춤추기만 하면 그것으로 만족하는 것이다. 그리고 자신은 무슨 위원이라는 식의 권위를 등에 업고 빨간 완장 따위를 팔에 감으면 그것으로 번듯한 앞잡이라도 된 양 득의양양해지는 것이다.

그들이 말하는 정의란 무엇인가. 자유란 무엇인가. 이것은 주도자와 그 앞잡이를 바꾸는 것에 불과하다.

우리는 현 주도자와 앞잡이만 싫은 게 아니다. 주도자와 앞잡이라는 그 자체를 부정하는 것이다. 그런 것 없이 모두 자유롭게 춤추고 싶다. 그리고 자유분방한 모든 이가 조화롭게 잘 어우러지기를 원한다.

그러기 위해서는 가장 먼저 언제 어디서든, 모든 이들이 자유롭게 춤추는 연습을 해야만 한다. 다시 말해, 자유로운 발의와 합의를 위한 연습이다.

발의와 합의의 자유가 없는 곳에 어떻게 자유와 정의가 있을 수 있겠는가.

우리는 새로운 주도자의 선창에 맞추어 춤추기 위해 연설회에 모이는 것이 아니다. 발의와 합의의 연습을 위한 모임이다. 그 외의 목적이 있더라도 다수가 모인 기회를 이용하여 새로운 삶의 연습을 할 따름이다. 그뿐만은 아니다. 그렇게 하여 도달하는 곳에서 자유로운 발의와 합의를 발휘하고, 그로 말미암아 실제적인 새로운 삶을 차근차근 쌓아나가는 것이다.

새로운 삶은 멀거나 가까운 미래를 향한 새로운 사회제도에서 첫걸음을 내딛는 것이 아니다. 새로운 삶을 향한 한 걸음 한 걸음 속에서 미래의 새로운 사회제도가 싹을 틔우는 것이다.

긴 대사는 예전 연극의 특징이고 새로운 연극에서는 짧은 대화가 이어진다. 예술은 사회를 비추는 거울이다. 시대상이 연극이라는 거울에 드러난 것이다.

타인의 장황한 이야기를 묵묵히 들어주는 것은 주도자, 즉 상류층 사람을 대상으로 한정된다. 동일 계급 사이에서는 긴 대사가 사라지고 짧은 대화가 이어진다. 긴 독백에서 짧은 대화로의 변화, 이것이 대화의 진화이며 인간의 진화다.

학교나 연설회처럼, 주도자의 선창에 맞춰 춤추는 사회에서는 강단과 연단 위에 선 사람이 혼자서 긴 독백을 이어가며 아래 사람들을 가르치고 인도한다. 그러나 인간이 점차 발의를 중시하게 되면서 긴 독백은 청중의 질문과 반박에 부딪혀 중단된다. 마침내 이른바 강의나 연설이 단상 위와 아래로 나뉜 사람들의 대화가 되어 일종의 토론회가 등장하는 것이다.

연설회는 토론회가 아니라고 하고 그렇게 되면 행사장의 질서를 유지할 수 없다고 한다. 그리고 연설자의 연설에 한두 마디 비평을 가하는 우리를 연설회를 방해하거나 훼손하러 온 것으로 간주하고, 경찰관과 주최자와 청중이 합심하여 소란을 피운다. 바보 같은 일이다.

5

그러나 가장 빨리 깨닫는 것은 청중이고 민중이다. 처음에는 우리네 직언하는 사람에 대하여 호들갑을 떨던 청중들이 점점 우리 편이 된다. 최종적으로 거의 모든 이가 우리 편이 된다. 게다가 공연장의 질서는 새로운 형태로 변형되어 훌륭하게 유지된다.

그날 밤도 그랬다. 처음에 우리가 반대를 외쳤을 때, 거의 모든 청중이 일어나서 끌어내라거나 조용히 하라고 소리를 질렀다. 경찰관들은 우리를 에워쌌고 우리의 팔다리를 잡고 끌어내리려고 했다. 하지만 우리 쪽의 기세도 만만치 않아서 강제로 끌어내리려다가는 오히려 공연장의 질서를 완전히 무너뜨릴 것 같은 형국이었다. 게다가 우리가 경찰에게 폭행을 당할 것 같으면 관객들 속에서도 갑작스레 민중적 본능이 발동하여 우리를 보호하려는 사람들이 나오기 마련이다. 예민한 경찰관들은 곧장 이를 눈치채고 어찌하지 못했다.

우리는 기세를 몰아 더욱 비평을 가했다. 모호한 발언을 하는 연설가의 모순을 지적했다. 그들이 회피하고자 하는 점을 보완했다. 우리들의 야유는 대부분 급소를 찔렀다. 청중들은 우리의 말을 듣고 박수치기 시작했다. 그리고 자신들도 점점 더 연설자의 발언에 대한 질문과 반박, 이른바 야유를 시작했다. 연설자와 주최자, 경찰관들은 굳은 표정으로 묵인했다.

마지막으로 내가 연단에 올랐다. 처음에 우리를

끌어내라고 하고 정신 나간 놈들이라고 욕하던 청중들이 조금 전 연설자들에 비해 훨씬 더 열렬하고 격렬한 박수를 보내 왔다.

나는 연설가로서 연단 위와 아래의 대화와 토론을 시도해보고 싶었다. 사실 나 자신도 수백, 수천의 청중 앞에서 연설하는 것은 처음이었다. 말을 더듬고 어눌한 나의 말투, 대규모 연설회 같은 상황에 익숙하지 않은 소심함 때문에 과연 잘할 수 있을지 마음속으로 심히 걱정했다.

하지만 나는 연단에 올라서자마자 기분이 좋아졌다. 무엇을 말할지 아무 준비도 하지 않았다. 나는 그저 현재 이곳에 있는 모든 이들에게 실제적인 문제가 된 행사장의 질서에 관하여 이야기하고 싶었다. 하지만 이야기하고자 생각했던 것은 이미 그들 사이에서 멋들어지게 합의된 상태였다. 새로운 질서의 분위기가 그 장소에 넘쳐나고 있던 것이다.

나는 평소 말을 더듬는 것도, 낯선 장소에 대한

두려움도 완전히 잊고서 술에 취한 듯 기분 좋게 청중들과 대화하고 토론했다. 그렇게 기분 좋은 연설회는 태어나서 처음이었다.

연설가와 청중의 대화는 극소수의 모임이 아니면 불가능하다거나 충분한 소양을 갖춰야 한다는 반대론은 이를 근거로 사실상 무너졌다.

우리들의 소위 야유는 반대를 위한 반대가 아니고 단순한 전도를 위한 것도 아니다. 언제 어디서나 새로운 삶, 새로운 질서를 한 걸음 한 걸음 구축하기 위한 실제적인 운동인 것이다.

고함치는 자는 고함치고, 짖는 자는 짖으라. 주도자들아. 앞잡이들아.

새로운 세상을 위한 새로운 예술!

1

　작년 여름 혼마 히사오本間久雄 씨가 와세다 문학
에 「민중 예술의 의의와 가치」를 발표한 이래, 민
중 예술이라는 문제가 내 눈에 들어온 것만 해도
오늘까지 십여 명의 사람들이나 되고 그들에 의해
여기저기서 논의되고 있다. 그때마다 민중이라는
것을 논의의 중심에 두는 내 입장에서 보면 누구
하나 민중 예술이라는 문제의 본질을 꿰뚫고 있는
사람이 없는 것 같은 유감스러운 마음에서 그 대

열에 끼고 싶었지만, 끝내 그 뜻을 이루지 못하였다.

벌써 일 년이 지났다. 문단의 통설에 따르면, 이제 이 문제도 사라질 때가 되었다. 그렇지 않다면 민중에 대해 완전히 무관심하거나, 로맹 롤랑Romain Rolland8)의 말처럼 민중을 조금도 경멸하지 않는 것을 오히려 경멸의 근원으로 삼는, 다시 말해 피와 땀으로 자신의 힘을 길러준 부모의 시골스러움을 수치스러워하는 출세주의자들이 많은 문단 말이다. 다섯이나 열 명 정도의 의욕적이면서 순진무구하거나, 새로운 것을 좋아하거나, 박식한 척하고 허영심 많은 선생 등이 일각에서 잠시 서성여봤자 대부분 아무 흔적도 남기지 않고 지나칠 것이 틀림없다.

그러나 나는 이 문제에 대하여, 문단의 한결같은

---

8) 프랑스의 소설가, 평론가. 이상주의적 휴머니즘, 평화주의, 반파시즘을 내걸고 전쟁 반대를 세계에 강하게 주장하였으며, 프랑스에서는 평가받지 못했으나 국제적으로 많이 알려져 있다.

유행품 취급을 탈피하고 싶다. 민중 예술은 로맹 롤랑의 말처럼 유행품이 아니며, 딜레탕트(dilettante[9]) 등의 놀이가 아니다. 나아가 새로운 사회에 따른 감정과 사상의 불가피한 표현인 동시에 저물어가는 옛 사회에 대한 투쟁 기관이라고 치부할 수만은 없다. 로맹 롤랑이 초안을 작성한 민중극장 건설의 선언문에서도 알 수 있듯이, 이 문제는 민중에게도 그렇지만 예술에 있어서도 죽느냐 사느냐의 큰 문제이다.

과장된 말을 한다고 비웃지 말라. 특히 지금까지 자기 것인 것처럼 민중 예술을 설파하던 사람들에게는 단순히 투쟁 기관이라고 말하는 것만으로도 이미 눈살이 찌푸려지며 괘씸하게 들릴 수 있고, 죽느냐 사느냐의 문제라고 하면 분명 엄청 과장된 말투로 비칠 것이 틀림없다. 그러나 이것이 과장되게 들리지 않아야만 민중 예술의 진정한 의미와

---

9) 이탈리아어로 예술이나 학문 따위의 아마추어 애호가를 가리키는 말. 소박한 지식이나 솜씨만 가지고 있는 사람을 가리키는 말.

가치를 알 수 있을 것이다.

2

　로맹 롤랑은 전세기 말엽부터 현세기에 걸쳐 매우 빠른 속도로 확산한 민중 예술 운동에 대하여 다음과 같은 두 가지 사실을 기록으로 남기고 싶다고 말하면서, 민중이 갑작스레 예술에서 힘을 얻게 된 것과 민중 예술이라는 이름 아래에 모이는 여러 가지 이론이 극히 분열되어 있다는 것을 예로 들었다.

　"현재 민중극을 대표한다고 하는 사람들 사이에는 상반된 두 계열이 있는데, 한 계열에서는 오늘날 있는 그대로의 연극을, 어떤 연극이든 상관하지 않고 민중에게 주고자 한다. 다른 계열은 새로운 세력인 민중으로부터 예술의 새로운 양식, 다시 말해 새로운 연극을 창조하고자 한다. 전자는 연극을 믿고, 후자는 민중에게서 희망을 품는다."

이와 같은 '가설'들은 일본에서는 무슨 이유에서 인지 아직 명확하게 '분류'되어 있지 않지만, 만일 민중 예술에 대한 논의가 더욱 활발해지거나 논의가 실행된다면 얼마나 '분류'될지 알 수 없다. 오늘날에도 이미 조짐은 분명하다. 예술을 믿는 것, 민중에게 희망을 품는 것, 그 중간 지점의 어느 것 등 여러 가지가 있다.

민중, 다시 말해 People이라는 말은 처음 혼마 히사오에 의해 평민 노동자로 해석되었다. 엘렌 케이Ellen Key[10]는 '휴식적 교양론'의 첫머리에 '여덟 시간의 노동과 수면이라고 명시함과 동시에 여덟 시간의 휴식이라는 정당한 요구를 기치로 내건 군중'이라고 하였고, 명백하게 평민 노동자를 휴식적 교양의 대상으로 삼고 있다. 로맹 롤랑의 민중, 즉 People이 평민 노동자인 것은 나중에 밝혀질 것이

10) 19세기 스웨덴의 사회 사상가이자 교육학자. 특히 유아 교육의 중요성을 설파한 점에서 교육 역사상 저명한 페미니스트 중 한 명이다.

다. 그러나 이 People은 민중이 아니고 평민 노동자도 아닌 민중극, 다시 말해 People's Theatre의 People's는 일반적general이나 보편적universal이라는 뜻이며, 미국 등지에서는 People을 그렇게 표현하는 경우가 많다고 하는 사람도 있다. 미국 유학파 어학자인 야마다 가키치山田嘉吉 및 그의 부인 야마다 와카코山田和歌子가 이에 속한다. 그러나 이런 경우에는 미국 유래나 어학 계통을 따르는 그 자체에 오류의 원인이 있다. 이시자카 요헤이石坂養平도 그런 의미에서 '민중 예술가로서의 나카무라 세이코中村星湖'를 논하고 있다.

다음은 민중과 예술이라는 글자 사이에 있어야 할 전치사에 관한 문제이다. 혼마 히사오는 그것을 '~을 위한' 즉 for로 해석하였다. 나카무라 세이코는 그것을 '~에서 나온' 즉 프랑스어의 de part로 해석했다. 그리고 도미타 사이카富田砕花는 '~의 소유이다' 즉 of로 해석한 것 같다. 그러나 이는 과거 진정한 의미의 민주정치를, 민중에 의

한, 민중을 위한, 민중이 소유하는 정부, 즉 Government by the people, for the people and of the people이라고 말했듯이, 앞서 세 사람의 말을 종합하여 민중에 의해, 민중을 위해 만들어지고 민중이 소유하는 예술, 즉 Art by the people, for the people and of the people이라고 하지 않으면 정확하다고 할 수 없는 것이다. 그리고 그중 '민중에 의한' 혹은 '민중으로부터 탄생했다'고 하는 것이 가장 중요한 부분인 것은 말할 것도 없다. 다나카 준田中純은 정확하게 짚어준다. "민중 스스로 만들어낸 예술은 그 자체로 민중을 위한 예술이며, 민중이 소유하는 예술이 될 수 있다. 진실로 민중을 위한 충분한 예술이라고 할 수 있는 것은 민중 스스로가 만들어낸 예술이어야만 한다."

안타깝게도 일본에는 아직 '오늘날 있는 그대로의 연극을, 어떤 연극이든 상관없으니 평민에게 피로하자'라고 하는 민중 예술론은 없다. 다만 실제적으로 특히 평민 노동자를 위해 공연한다고 하는 대중적인 예술 모임은 모두 이러한 종류의 것이었다. 그리고 만일 시마무라 호게츠島村抱月가 다소 이러한 향기를 풍기고 있는 것처럼, 이 예술인의 연극이 민중 예술이라고 감히 말한다면, 그 역시 대부분 이런 종류의 것들일 것이다.

3

나는 앞서 일본에서는 모종의 이유로 인해 아직 민중 예술론이 명확하게 확정되지 않고 있다고 서술하였다. 그 이유란 민중 예술론의 제창자들이 아직 진정으로 민중적 정신을 보유하고 있지 않다는 것, 따라서 오늘날 예술에 대한 원통하고 억울한 민중적 마음을 가지지 않았다는 것이다. 따라서 그들의 논의는 매우 모호하다. 미온적이다. 모호하고 미온적인 민중 측의 논의는 비민중 측의 직설적이며 열띤 논의를 불러일으키지 못한다.

과거 나는 역사란 것을 오늘날 자본가 계급과 노동자 계급이라는 일관적인 형식으로 나타나는 '정복 사실'이라고 설파하며,

"예민함과 총명함을 자랑하며 개인의 권위의 우월성을 외치는 문예인들아. 너희들의 예민함과 총명함이 이러한 정복 사실과 그에 대한 반항을 다루지 않는 한, 너희들의 예술은 놀이일 뿐이며 허황된 소리에 불과하다. 우리의 일상생활마저 압박해 오는 이 사실의 무게를 망각하고 포기하게 만들며, 조직적 기만의 유력한 분자이다.

우리의 시선을 빼앗는 정적인 아름다움은 우리와 더는 아무 관계가 없다. 우리는 엑스터시Ecstasy와 동시에 엔투지애즘Entusiasm을 낳는 동적인 아름다움을 갈망하고 싶다. 우리가 요구하는 문예는 정복 사실에 대한 증오미와 반항미를 동시에 가진 창조적인 문예이다."

이렇게 말했다. 나아가 이 증오와 반항으로 인한

'생의 확장'을 설파하며,

"생의 확장 속에서 삶의 지고한 아름다움을 보는 나는 이 증오와 반항 속에서만 오늘날 삶의 지고한 아름다움을 본다. 정복 사실이 절정에 이른 오늘날에 해조란 더는 아름다움이 아니다. 아름다움은 난조에 있을 따름이다. 해조는 거짓이다. 진실은 오직 난조에 있다.

사실에 입각한다는 최근 일본의 문예가 왜 사회의 근본적 사실, 그것도 오늘날 그 정점에 도달한 이 정복의 사실을 다루지 않는가. 근대의 생에 대한 고민의 근본을 건드리지 않는가."

이렇게 말했다. 이와 같은 나의 예술론은 명백한 민중 예술론이었다. 내가 요구하는 예술은 로맹 롤랑이 말한 새로운 세상을 위한 새로운 예술이었던 것이다. 그런데 이 예술론에 반대한 것은 사실 이번 민중 예술론의 첫 번째 주창자인 혼마 히사오 그 사람이었다. 그는 증오와 반항에는 아름다움이 없다고 말했다.

프랑스에서 민중 예술을 주창한 로맹 로랑은 확실하게 알고 있다. 로랑은 말한다.

　　"폭력이라는 요소가 예술에 반드시 동반되는 것은 아니다. 인간의 양심이 그와 충돌하고 그것을 타파해 나가야 하는 부정과 불의에 동반되는 것이다. 예술은 투쟁을 절멸시키는 것을 목적으로 하지 않는다. 예술의 목적은 삶을 풍요롭고 강하게 하고, 더욱 확장하고 좋게 만드는 데 있다. 그렇다면 만일 사랑과 결합이 그 목적이라고 한다면, 증오는 어느 시기까지는 아마도 그에 대한 무기가 될 것이다. 생 앙투안Saint-Antoine 교외의 한 노동자가 모든 증오는 악이라는 것을 끊임없이 설파하는 한 강연자에게 이렇게 말했다. 증오는 선이다. 증오는 정의다. 억압받는 자로 하여금 억압하는 자에게 반항하여 봉기하게 만드는 것이 바로 이 증오이다. 나는 어떤 이가 다른 사람들을 압제하는 것을 보면 그에 대해 분개한다. 그를 증오한다. 나아가 분개하고 증오하는 자신이 옳다고 생각한다.

악을 증오하지 않는 사람은 선을 사랑할 수 없는 이들이다. 부정과 불의를 보고도 그에 맞서 싸울 마음이 일지 않는 사람은 예술가도 아니거니와 인간조차도 아니다."

증오와 반항에 아름다움이 있든 없든 중요한 문제가 아니다. 그러나 이 증오와 반항에 관여하지 않는 사람은 '예술가도 아니거니와 인간조차도 아니다'라는 것이다. 그로부터 두 해 동안 혼마의 이러한 사상은 얼마나 많은 진전이 있었는지는 모르겠다. 그러나 어찌 되었든 혼마가 일본에 있어서의 민중 예술론을 주창한 첫 번째 제창자였다.

4

혼마 히사오는 모든 일에 열성적이지만 순진한 학자이다. 그래서 그는 엘렌 케이의 '휴양적 교양론'을 한 번 읽고 지극히 상서로운 열의를 품었지만, 오히려 야스나리 사다오安成貞雄에게 혼쭐이 난 것처럼 엉터리 민중 예술론을 설파한 것이다.

요컨대 엘렌 케이의 논지는 스웨덴의 청년 사회 민주당에 대하여,

"휴식시간을 늘리기 위해 투쟁하는 동시에 휴식시간이 악용되지 않도록 휴양적 교양을 획득해야만 한다.

모든 일에 있어서 구사회보다 더 나은 신사회를 구축할 책임을 지고 있는 청년들 사이에, 청년들에 의해 계급전쟁class war과 함께 교양전쟁culture war을 끊임없이 영위해야만 한다."

이렇게 권고한 것이다. 오락에도 좋고 나쁨이 있다. 육체적 및 정신적 갱신을 가져다주지 않는 오락은 유해하다. 휴양적 교양recreational culture이란 여러 종류의 쾌락을 식별할 수 있는 능력을 의미하며, 새로운 힘을 생성하는 생산적인 쾌락을 선택하여 비생산적인 쾌락을 배척할 수 있는 의지를 의미한다. 그리고 엘렌 케이는 다음과 같이 부연

한다.

"어느 계급에서나 대다수 사람은 공허한 쾌락을 탐닉하고 있다. 그러나 다른 어느 계급에서는 노동자 계급만큼 심각한 위험은 없다. 왜냐하면 열등한 쾌락 때문에 정신적으로 상해를 입는 것은 어느 계급의 어느 개인에게나 동일하게 유해하다는 것은 당연한 말이지만, 공동체에 있어서 가까운 미래의 제반 문제를 손아귀에 쥐고 있는 제4계급이 심한 상해를 입는 것은 공동체 전체와 그 장래에 있어서 훨씬 더 해롭기 때문이다.

노동계급은 일하기 위한 강대한 힘을 내기 위하여 가능한 모든 수단을, 심지어 쾌락이란 수단까지 사용해야만 한다.

그렇다면 노동자들이 현재 가지고 있는 적은 여가, 그들이 얻고자 하는 더 많은 여가가 가치 없는 오락에 쓰이고 있는지, 아니면 진정한 휴식, 즉 육체적 및 정신적인 힘의 갱신을 위해 사용되고 있는지는 가장 중대한 문제가 될 것이다."

엘렌 케이의 이 권고에 대해서는 아무리 삐뚤어진 사회민주당이라고 할지라도, 응당 여성 인사도 교양 전쟁과 함께 계급 투쟁도 고무시키라는 말 외에는 묵묵히 경청할 수밖에 없을 것이다. 만약 혼마가 단순히 이 정도만 소개했었어도 야스나리에게 저런 이상하고 짓궂은 질문을 받지 않았을 것이다.

엘렌 케이는 혼마가 말한 것처럼 "요컨대 그들 노동자에게는 비참함과 추악함만 있을 뿐이다."라고 말하지 않는다. "자비로운 어머니와 같은 온정"을 가지고 이런 "비참함과 추악함을 남들보다 더 깊게 느끼고, 남들보다 더 깊게 연민하고 있다."라고 할 정도는 아니다. "거기에는 인간과 인간이 서로 감싸 안는 듯한 정감이나 인간으로서의 삶의 향락 같은 것을 가볍게 생각하고 싶지 않다."라고 말하는 것 같다. 그토록 추악한 '야만인'에게 어찌 '인류 전체의 직접적인 장래' 따위를 맡길 수 있겠는가. 나아가 어찌 맡기고 그대로 둘

수 있겠는가.

　더욱이 엘렌 케이는 혼마가 말한 것처럼 전문적인 사전 지식이 있어야만 이해할 수 있는 소위 고급 예술과 동일 선상에 놓지 않았다. "민중을 위한다는 것은 노동자 계급인 사람들을 위한다는 의미이기 때문에 그러한 예술은 그들 노동자도 제대로 감상하고 이해할 수 있을 만큼 통속적이고 보편적이며 비전문적이어야 한다."고 말하지도 않았다. 이렇게 오해하기 쉽고, 도리어 그렇게 오해하는 편이 더욱 타당할 정도의 불필요한 말은 하지 않았다.

　요컨대, 엘렌 케이는 단지 로맹 롤랑의 민중 예술론의 요지를 소개하고, 그에 대하여 '한 마디도 빠짐없이 찬성하였고' 나아가 그러한 방면의 휴양적 교양을 역설하여 현재 민중의 오락물에 대해 비판한 것이다. 그리고 휴양적 교양을 역설한 것이 바로 매사에 정신적이고 개인적이며 이른바 온건한 엘렌 케이의 특징인 것이다. 따라서 혼마 히사오처럼 이쪽 방면에서만, 그것도 극히 미숙한 민중 예술을 설파하게 되면 굉장히 기묘한 것이 탄생하게 되는 것이다.

5

그렇다면 엘렌 케이가 '한 마디도 빠짐없이 찬성하였다'라고 말하는 로맹 롤랑의 민중 예술론의 요지는 무엇일까? 로맹 롤랑의 민중 예술론은 주로 민중극론을 말한다. 아래는 가능한 한 로맹의 말을 통하여 그 요지를 서술하고자 한다.

이제 구사회는 번영의 정점을 넘어 이미 쇠락의 내리막길을 나아가고 있다. 어쩌면 이미 빈사 상태라고 볼 수 있겠다. 그리고 그 폐허 위에 민중의 새로운 사회가 곧 발흥_{勃興}11)하려고 한다.

---

11) 갑자기 발생하여 잘되어 감.

새로운 발흥 계급은 그들 자체의 예술을 가져야만 한다. 사상과 감정의 필연적인 표출로서의, 젊고 활기찬 생명력의 표현으로서의, 늙고 쇠퇴해가는 구사회에 대한 투쟁 기관으로서의 새로운 예술을 가져야만 한다. 민중에 의한, 민중을 위한 예술을 가져야만 한다. 새로운 세상을 위한 새로운 예술을 가져야만 한다. 만일 이러한 예술이 없다면 살아 있는 예술은 없다. 과거의 미라가 잠들어 있는, 묘지 같은 박물관이 존재할 뿐이다.

당파 색을 조금도 띠지 않고, 무한하고 영원하며 보편적인 민중 예술이라는 개념을 말하는 사람이 있다. 이것은 고귀한 몽상이다. 만일 그것이 가능하다면, 미래 세대는 몇 세기 후에 그것을 실현할 것이다. 그러나 지금은 영원을 현재의 순간에 두고, 오늘이란 시대와 함께 살아가기 위해 노력해야 한다. 예술은 시대의 갈망과 떼려야 뗄 수 없다. 민중 예술은 민중의 고통과 희망, 투쟁과 함께해야만 한다.

어떠한 아름다움도, 어떠한 위대함도 청춘과 생명을 대신할 수 없다. 그들의 예술은 노인의 예술이다. 우리가 우리의 말년에 임무를 다하고 우리의 공동 행위에 대한 의무를 다한 후에, 공평무사한 예술과 괴테의 맑고 순수한 아름다움을 바라는 것은 올바르고 자연스러운 일이다. 그것은 인생 여정의 최고의 이상이자 훌륭한 일이다. 그러나 그곳에 갈 만한 공적도 없고 너무 빨리 그곳에 도달하는 사람과 민족은 슬퍼해야 할 일이다. 그런 사람이나 민족에게 맑음은 무감각, 즉 죽음의 전조에 불과하다. 생은 끊임없는 갱신이다. 투쟁이다. 고난 있는 투쟁이 아름다운 죽음보다 더 낫다.

평화로운 시대와 예술은 굉장히 바람직한 행복이다. 그러나 시대가 어지러울 때, 국민이 투쟁할 때는 국민의 편에 서서 싸우고, 국민을 분기하게 하고, 국민의 나아갈 길을 가로막는 무지를 타파하고, 편견을 몰아내는 것이 예술의 목적이다.

실러Schiller[12]는 이미 1798년 '발렌슈타인의 전쟁'

을 상장할 때 아래와 같이 말했다.

"지금 그 막이 열리고 있는 새로운 시대는 시인에게도 옛길을 뒤로하게 하고, 여러분으로 하여금 신사파紳士閥 생활의 좁은 범위에서 우리가 지금 분투하고 노력하는, 숭고한 시대에 걸맞은 더욱 고귀한 연극으로 옮겨가려고 한다. 오직 큰 주제만이 인간의 깊은 내장을 흔들어 놓을 수 있기 때문이다. 이제 현실 그 자체가 시가 된다. 사람들이 인류의 큰 이익인 주권과 자유를 위해 싸우고 있다. 이 엄숙한 시기에 예술도 악마를 소환하는 연극을 통하여 더욱 대담한 도약을 시도할 수 있는 것이다. 예술이 이렇게 도약만 할 수 있는 건 아니다. 실생활이라는 연극 앞에서 부끄러워하며 사라지고 없어져 버리는 것을 원치 않는다면 반드시

---

12) 독일의 시인, 역사학자, 극작가, 사상가. 괴테와 함께 독일 고전주의를 대표하는 인물이다. 독자적인 철학과 미학에 바탕을 둔 이상주의, 영웅주의, 나아가 자유를 향한 불굴의 정신이 그의 작품 근저에 흐르는 주제이다. 청년기에는 육체적 자유를, 말년기에는 정신적 자유를 주제로 삼았다.

시도해야만 하는 것이다."

만일 예술이 시대에 부응하지 못한다면 예술은, 적어도 살아 있는 예술은 소멸해야만 한다. 그리고 새로운 예술을 창조할 수 없는 민중은 새로운 발흥 계급으로서의 운명도 포기해야만 한다. 이렇게 민중 예술의 문제는 민중에게도, 예술에도, 실로 죽느냐 사느냐의 중대한 문제이다.

민중에는 두 종류가 있다. 하나는 가난에서 벗어난 그 즉시 신사파에 매료되어 흡수되어 버린 이들이다. 다른 하나는 행복한 형제들에게 버림받고 가난의 밑바닥에서 꿈틀대고 있는 이들이다. 신사파의 정책은 후자를 멸종시키고 전자를 동화시키는 것이다. 그리고 우리 자신의 정책, 다시 말해 우리의 예술적이며 사회적인 이상은 이러한 두 종류의 민중을 융합시켜 민중 자체에 계급적 자각을 부여하는 데 있다.

만일 민중이 제2의 신사파가 되어 그와 동일하게 향락이 조잡하고 도덕은 위선적이며, 둔감하고 무감각한 이들이라면, 우리는 더 이상 민중을 걱정하지 않을 것이다. 소리만 요란하고 공허한 예술이나 시체 같은 인류를 살리는 것은 우리에게 중요하지 않은 일이다.

그러나 우리는 민중의 젊은 생명력을 믿는다. 인류의 도덕적이며 사회적 혁명을 믿는 것이다.

민중 예술에 대한 이러한 우리의 믿음, 즉 파리의 유람객 같은 뜻이 없는 어른스러움에 대항하여 집단적 삶을 표명하고 종족의 갱생을 준비하고 촉진하는 탄탄한 남성적 예술을 건설하고자 하는 열렬한 믿음은 우리 청년 시대의 가장 순수하면서 건전한 힘 중 하나였다. 우리는 결코 이 믿음을 잃지 않을 것이다.

6

로맹 롤랑의 민중 예술론의 요지는 이와 같다.

그러나 이것은 요컨대 이상이다. 신앙이다. 이상과 신념이 실현되기 전에 '민중에 의한'이라기보다는 오히려 '민중을 위한' 예술이 탄생해야만 할 것이다.

현재 예술은 이기주의와 혼란에 시달리고 있다. 소수의 사람이 예술을 특권으로 삼고 있다. 민중은 예술에서 멀어지고 있다. 국민 중 숫자가 가장 많고, 활력이 넘치는 부분이 예술에 표현되고 있지 않다. 따라서 사상은 극도로 빈약해지고 예술에 중대한 위험이 육박하고 있다.

예술을 특정 계급의 독점적 향유물로 만드는 것은 예술을 빼앗긴 계급의 사람들로 하여금 예술을 증오하고 파괴하게 만든다.

예술을 살리기 위해서는 생명의 문을 열고 많은 사람을 그곳으로 받아들여야 한다. 평민에게도 발언권을 주어야만 한다.

그러나 삶은 죽음과 연결될 수 없다. 과거의 예술은 이미 4분의 3 이상 죽은 것이다. 과거의 예술은 삶에 아무런 도움이 되지 않는다. 오히려 삶을 해롭게 할 우려마저 있다. 건전한 삶의 필수조건은 삶이 새로워짐에 따라 끊임없이 새로워지는 예술을 하는 것에 있다.

　누구든 태어난 장소와 시대에서만 선한 것이다. 선과 아름다움이 절대적인 존재라든가, 영원한 관념이라고 하는 것은 믿을 수 있다. 그러나 이 표현은 사람 마음의 양식에 따라 변한다. 일부 사람들에게는 아름답지만 민중에게는 추악할 수 있고, 일부 사람들의 욕망과 같은 정당한 권리를 가진 민중의 욕망에 부응하지 못하는 일도 있다. 20세기의 민중에게 지난 세기의 귀족적 사회의 예술과 사상을 강요할 수 없다.

　신사파의 비평가들은 자주 말한다. 민중은 자신의 계급보다 높은 계급을 주인공으로 다룬 소설이나 대본이 아니면 좋아하지 않는다. 부유한 사회의 묘사는 민중으로 하여금 자기 자신의 권염(倦厭13))을 잊게 만든다고. 그렇다. 민중이 반수면 상태인 동안에는 그럴지도 모르겠다. 그러나 인격의 감정이 각성하고 시민으로서의 품위를 자각하게 되면 민중은 이와 같은 종속적인 예술을 수치스러워해야 한다. 그리고 민중을 존경하는 사람들의 의무는 이러한 예술에서 민중을 구출하는 것에 있다.

민중은 신사파 예술의 잔재물을 모으는 것보다 훨씬 더 큰 장점이 있다. 현재의 예술 고객을 늘리기 위해 노력하지 않아도 된다. 우리는 예술을 위해 일하는 것이 아니다. 우리는 예술의 선과 민중의 선이라는 것만을 생각하면 된다. 나아가 현재의 일반적인 예술적 교양을 보급하는 것이 이 예술의 선 혹은 민중의 선이 될 것으로 생각하는 건 너무나도 오만한 낙관론임이 틀림없다.

우리가 목적으로 하는 지점은 평민의 선만이 아니다. 예술의 선이다. 예술은 인간 영혼의 위대함을 드러내는 것이다. 영혼의 창조가 있어야만 생

---

13) 권태롭고 싫증이 남.

명이 가치가 있는 법이기에, 인간 영혼의 창조에 있어서 우리는 예술을 한없이 숭배하는 것이다.

우리는 핏기 없는 예술에 생기를 불어넣고 마르고 쇠약한 가슴을 살찌우며, 민중의 힘과 건강을 그 안에 담고자 하는 것이다. 우리는 인간 영혼의 영광을 민중을 위해 사용하려는 것이 아니다. 민중과 우리가 함께 이 영광을 위해 움직이도록 하자는 것이다.

그런 의미에서의 민중 예술은 첫 번째 조건으로 그것이 오락이라는 것이다. 민중 예술은 가장 먼저 민중을 위한 것이어야 하며, 하루의 노동에 지친 노동자를 위한 육체적, 정신적 휴식이어야만 한다.

게으른 지성에도 종종 많은 해악을 끼치는 데카당스Décadence 예술의 최종적 산물을 민중에게 줄 수는 없다. 소수의 고통과 번뇌와 의혹은 그들 스스로가 보관해 두면 된다. 민중에게는 민중 자신의 고통과 번뇌와 의혹이, 그 분량 이상으로 존재한다. 그 이상 늘릴 필요는 없다. 소수의 특정한 사람들이 '쥐가 알을 빨아먹듯이 우울을 빨아먹는' 것을 좋아한다고 해서 이러한 귀족들의 지식적 금욕주의를 민중에게 강요할 수는 없다. 썩은 나무에 돋아난 큰 이끼처럼, 유혹적이지만 모든 행위를 말살하는 몽상 때문에 해로운 영향을 받은 몇몇 사람들의 병적이며 복잡한 감정을 평민에게 강요할 수 없다. 그렇다, 우리가 그 병을 우리 자신 안에 둠으로써 만족을 느끼더라도, 우리의 병을 민중에게 전염시켜서는 안 된다. 우리보다 더 건전하고 가치 있는 종족을 만들기 위해 노력해야만 하는 것이다.

민중은 격렬한 연극을 좋아한다. 그러나 그 격렬함은 실생활에서나 무대에서도, 민중이 자신을 이입하여 보고 있는 히어로를 파멸시켜서는 안 된다. 민중 자신은 아무리 포기하고 낙담한다고 해도 이와 같은 몽상적인 인물에 대해서는 매우 낙관적이다. 슬픈 결말이 되면 견딜 수 없다. 결국에는 선이 승리한다고 하는, 모두의 마음속 깊은 곳에 자리하는 진심에서 우러나오는 확신이 극에서 증명되어야 한다. 이것은 민중의 마음이 순진한 탓이 아니다. 오히려 건전함 때문인 것이다. 민중의 확신에는 이치가 있다. 이 확신은 생활에 필수적인 하나의 힘이며 나아가 진보의 법칙이기도 하다.

그렇다면 민중에게는 사람들을 울게 하고, 결국은 해피엔딩으로 끝나는 멜로드라마만 먹힌다는 말인가? 전혀 그렇지 않다. 이러한 조잡한 거짓은 술과 마찬가지로 민중을 무기력하게 만드는 최면제이자 마취제이다. 우리가 예술에 부여하고자 하는 오락의 힘은 정신적 활력을 희생하는 것이어서는 안 된다.

이어서 민중 예술은 활력의 원천이어야만 한다. 활기를 잃게 하거나 침체시키는 것을 피해야 한다는 의무는 대단히 소극적인 것이다. 따라서 이 의무에는 필연적으로 그 반대, 즉 활기를 얻게 하고 강화시킨다고 하는 적극적인 측면이 존재한다. 민중 예술은 민중에게 휴식을 취하게 하면서도 다음 날의 활동에 적합하도록 만들어야 한다.

마지막으로, 민중 예술은 지성을 위한 빛이어야 한다. 목적지로 곧장 인도하고 끊임없이 자신의 주변을 잘 볼 수 있도록 가르쳐야 한다. 어두운 그늘과 주름살과 요괴로 충만한 인간의 무시무시한 뇌리 안에 빛을 확산시켜야만 한다. 노동자의 육체는 움직이고 있지만 그 사상은 대부분 잠들어 있다. 이 사상을 일깨워주는 것이 중요하다. 그리고 조금이라도 이러한 사상을 작동시킬 수 있게 되면 노동자에게는 그 자체가 쾌락이 되기도 한다. 그러나 민중을 그저 생각하게 하고 작동하는 상태로 두는 것에 그쳐서는 안 된다. 어떻게 생각하고 어떻게 인도해야 하는지를 가르쳐서는 안 된다. 노동자로 하여금 모든 것들을, 인간과 자기 자신을, 명확하게 관찰하고 분명하게 심판하는 것을 배우게 해야 한다.

환희와 활력과 지성, 이것이 민중 예술의 주요한 조건이다. 다른 제반 조건은 자연스럽게 갖추어진다. 그리고 설법이나 훈계는 모처럼 예술을 좋아하는 이들까지 혐오감을 부추기는 수단으로서도 지극히 저열한 비예술적인 것들이다.

이런 종류의 민중 예술은 근대의 소위 사회극과도 상이하다. 예를 들어 평민을 가장 잘 이해하고 사랑했던 현대인 톨스토이는 그토록 엄격하게 자신의 오만을 억누르고 있었음에도 불구하고, 사도라고 하는 자신의 사명, 자신의 신앙을 타인에게 강요하지 않으면 안 되는 강한 욕망, 예술적 리얼리즘의 요구는 '어둠의 힘The Power of Darkness' 등에서는 지극히 자비로운 마음보다도 훨씬 더 강했다. 이와 같은 작품은 민중을 위해서 유익하다기보다는 도리어 민중을 낙담하게 만드는 것이다. 요컨대 '어둠의 힘'이나 '방직공'과 같은 작품은 가난의 기다란 절규 혹은 비통한 이야기이며, 그러한 기우와 절망은 생활고에 시달리는 빈민들에

게 활력과 위안을 주기보다는 도리어 부자들의 양
심을 각성시키기 위한 것이다. 그도 아니면 기껏
해야 빈민 중에서 소수의, 선택된 사람들을 위한
것이다.

7

그러나 '민중을 위한' 주요한 예술이 민중에게
향유되기 위해서, 나아가 그러한 진정한 '민중'의
예술이 탄생하기 위해서는 우선 '민중'이 필요하
다.
과거를 회상하며 이탈리아의 혁명가 마치니Mazzini
는 이렇게 말했다. 당시 그는 아직 젊었고 평생을
문학에 공헌할 생각이었다고 한다. "예전에 나는
이렇게 생각했다. 예술이 있으려면 먼저 국민이
있어야 한다고. 당시 이탈리아에는 이 모두가 결
여되어 있었다. 조국도 없고 자유도 없는 우리는

예술을 가질 수 없었다. 그렇다면 우리는 우선 '우리가 조국을 가질 수 있는가.'라는 문제에 헌신하여 조국을 건설하는 것에 힘써야만 한다. 그리하여 이탈리아의 예술은 우리의 봉묘 위에서 번성하는 것이다."

우리 스스로 자문하자. 우리는 민중 예술을 원하는가. 그렇다면 먼저 민중 그 자체를 가지는 것부터 시작하라. 예술을 향유할 수 있는 자유로운 정신을 가진 민중을. 무자비한 노동과 빈곤에 짓눌리지 않는 여유 있는 민중을. 온갖 미신과 좌파혹은 우파의 광신에 현혹되지 않는 민중을. 자기자신의 주인으로서 현재 실행되고 있는 투쟁의 승리자인 민중을. 파우스트는 말했다.

"행위 먼저 있으리."

이렇게 로맹 롤랑은 민중 예술의 당연한 결론으로서 예술적 운동과 함께, 아니 오히려 그에 앞서 사회적인 운동을 전개해야 한다고 단언하였다.

그러나 반대로 일본의 민중 예술론자를 보면 이

점에 있어서 과연 얼마나 준비가 되어 있고 각오가 되어 있는가. 이러한 부분에 대하여 적어도 생각이 닿기는 하는가.

로맹 롤랑은 그의 민중 예술론을 노동운동론으로 연결함과 동시에 이러한 예술론을 생활론으로 끝맺고 있다. 그는 말한다.

"나는 극을 좋아한다. 극은 많은 이들을 같은 정서 아래에서 두고 우애적으로 결합시킨다. 극은 시인의 상상 속에서 활동과 열정을 흡수하기 위해 사람들이 모이는 거대한 식탁과도 같은 것이다. 그러나 나는 극을 맹신하지 않는다. 극은 가난하고 불안한 생활이 그 사상에 대한 피난처를 꿈속에서 추구한다는 것을 전제로 하는 것이다. 만일 우리가 더욱 행복하고 더 자유로웠다면 극이 필요 없었을 것이다. 생활 그 자체가 우리의 영광스러운 구경거리가 될 것이다. 이상적 행복은 우리가 그것에 접근할수록 점점 멀어져간다. 그러므로 우리는 결코 도달할 수가 없다. 그러나 인간의 노력이 예술의 범위를 점점 좁히고 생활의 범위를 점점 더 넓혀간다는 것, 혹은 예술을 갇힌 세계, 즉 상상의 세계가 아니라 생활 그 자체의 장식으로 삼게 된다는 것은 감히 단언할 수 있다. 행복하고 자유로운 민중에게는 극 같은 것은 불필요해지고 축제가 필요해진다. 생활 그 자체가 훌륭한 구경거리가 된다. 민중을 위하여 민중 축제를 개최할 수 있도록 준비해야만 한다."

근대 최대의 예술가인 바그너도 젊은 날의 솔직한 마음으로 감히 이렇게 단언하고 있다.

"만일 우리가 생을 가지게 되면 예술 같은 건 필요 없게 된다. 예술은 생이 끝나는 바로 그 지점에서 시작된다. 생이 우리에게 아무것도 주지 않을 때, 우리는 예술품에 의하여 '나는 이와 같은 것을 원한다'라고 외치는 것이다. 진실로 행복한 사람이 어떻게 예술을 하겠다는 생각을 가질 수 있는지 이해할 수 없다. (……) 예술은 무력한 우리의 고백이다. (……) 예술은 하나의 갈망에 불과하다. (......) 나의 젊음과 건강을 다시 살피기 위해, 자연을 즐기기 위해, 한없이 나를 사랑하는 여자를 위해, 아름다운 아이를 위해, 나의 모든 예술을 바친다. 자, 나의 모든 예술을 지금 이곳에 내놓는다. 나머지는 내게 달라."

만일 우리가 '남은 것'을 조금도 행복하지 않은 사람들에게 나눠줄 수 있다면, 생에 작은 기쁨이라도 줄 수 있다면, 그것이 예술을 희생하게 할지라도 우리는 더 이상의 여한이 없다.

노예근성론

1

흉기로 살해당하든, 불에 타서 죽든, 잡아먹히
든, 어느 쪽이든 반드시 목숨을 잃게 될 포로가
목숨만 겨우 붙어 고역에 사용된다. 한 마디로 이
것이 원시시대에 있어서 노예의 기원에서 가장 중
요한 부분이다.

예전에는 적을 포획하면 즉시 육체를 먹어치우
던 식인종도 나중에는 한동안 살려서 부족에 두고
각자 작은 횃불을 사용하여 구이로 만들거나, 손

가락과 발가락을 하나하나 잘라내거나, 불에 달군 쇠막대기로 태우거나, 작은 칼로 잘게 자르는 등 잔인한 쾌감을 맛보았다.

그러나 농업의 발달은 아직 식인 풍습이 다소 남아 있던 야만인의 쾌락을 앗아갔다. 그리고 포로는 물건을 운반하는 짐승으로서 농업의 고역에 동원되었다.

마찬가지로 농업의 발달과 함께 토지 사유제도가 생겨났다. 이 또한 노예의 기원 중 큰 이유 중 하나로 꼽힌다. 실제로 카피르 부족에서는 가난이라는 단어와 노예라는 단어가 동의어로 사용되고 있다. 빚을 갚을 수 없는 가난한 사람은 부자의 노예가 되어 해마다 주어지는 토지 분배도 받지 못한다. 그리고 개처럼 주인의 뜻대로 일하는 것이다.

이렇게 해서 기존 무정부 공산주의 원시 자유 부락에 주인과 노예가 발생하였다. 상하 계급이 생겼다. 그리고 각 개인이 속한 사회적 지위에 따라 도덕을 달리 적용하는 일이 시작되었다.

2

승자가 패자 위에 군림하여 가지는 권리는 절대적이고 무한하다. 주인은 노예에 대하여 생살여탈권을 가진다. 그러나 노예에게는 온갖 의무는 있을지언정 어떠한 권리도 있을 턱이 없다.

노예는 짐승이나 가축과 같은 취급을 받는다. 일할 수 있는 동안은 먹여주고 보살피지만, 병에 걸리거나 불구가 되면 가차 없이 버리고 눈길도 주지 않는다. 조금이라도 주인의 기분을 상하게 하면 곧장 죽임당한다. 금 대신 교역된다. 제단 앞에 제물로 바쳐진다. 때로는 추장이 손님상을 장식하는 접시 위 고기가 되기도 한다.

그러나 노예들은 주인의 잔인한 행위에 대해 감히 거부할 생각을 하지 못하고, 그저 자신은 그렇게 취급받아야 할 운명에 놓여 있다고 생각하고 포기한다. 그리고 사회가 좀 더 다르게 조직될 수 있다는 것 따위는 주인도 그렇지만 노예 또한 전혀 생각하지 않는다.

노예의 이러한 절대적인 복종은 그들을 소위 비열한 노예근성에 빠뜨리는 동시에 일반적인 도덕에도 치명적인 타격을 입혔다. 인간이 도덕적으로 완성된다는 의미는 이를 소극적으로 말하자면 타인을 해치고 자신을 타락시키는 행위를 거의 본능적으로 피하는 성품을 얻는 것에 있다. 그런데 어떤 비난이나 형벌의 두려움 없이, 아무런 보호나 저항이 없는 상태에서 가차 없이 그러한 마음 상태를 만족시킨다는 것은 이와 정반대의 효과를 초래한다는 것은 필연적인 일이다. 지칠 줄 모르는 폭력성과 배타성, 잔학성이 만연하다.

그리하여 사회의 중간층에 있는 이들은 약자를 학대하는 데 익숙해짐과 동시에 강자에게는 스스로 노예의 역할을 하는 데 익숙해졌다. 작은 주인은 자신의 노예 앞에서 오만해짐과 동시에 큰 주인의 앞에서는 자진하여 완벽한 노예의 태도를 보이는 걸 배웠다.

강자에 대한 맹목적이며 절대적인 복종, 이것이 노예제도가 낳은 거대한 도덕률이다. 그리고 주인과 추장에 대한 노예근성이 이후 도덕적 진화에 어떤 영향을 끼쳤는지는 다음에서 살펴보자.

3

앞서 서술한 바와 같이, 노예는 물자를 운반하는 짐승, 즉 가축이다. 나아가 노예는 가축 중 개에 비유되었다.

카피르족은 추장을 만날 때마다 "나는 당신의 개입니다." 하고 인사한다고 한다. 그러나 자기 스스로 개에 비유하는 이 풍습은 단순히 말뿐 아니라 몸짓이나 동작에 있어서도 인간으로서 몸으로

가능한 만큼 개 흉내를 낸다는 것이 모든 야만인 사이에서 예외를 거의 찾아볼 수 없을 정도로 만연했다.

우선 일반적인 방법으로 의류의 일부를 벗고 땅바닥에 엎드려서 흙먼지를 뒤집어쓰는 것이다.

아프리카는 노예제도가 가장 엄격했던 곳이다. 따라서 개를 흉내 내는 의식도 지극히 극단적으로 실시되었다.

아르긴섬 부근의 부족들은 추장 앞에 나설 때 알몸으로 이마를 바닥에 대고 머리와 어깨에 모래를 뒤집어쓴다. 일단 옷을 벗고 배를 깔고 기어가면서 모래를 입에 넣는다.

카트운가 추장을 접견했을 때, 이십여 명의 대관들이 모두 허리까지 벌거벗고, 배를 깔고 엎드린 채 얼굴과 가슴에 흙을 뒤집어쓰고 추장 곁으로 기어가서야 비로소 추장에게 말을 걸고 앉을 수 있는 것을 목격하였다고 한다.

그러나 이런 귀족들은 자신이 추장에게 하는 일

을 자신의 신하들에게도 똑같이 강요한다. 바론다 족의 평민은 길에서 귀족들 앞에 나서려면 네발로 기어가서 몸이나 손과 발에 흙을 묻힌다. 키아마 족 역시 귀족들 앞에 나서려면 갑작스레 땅에 엎 드린다.

다호메이 족장의 집에서는 신하들이 왕좌에서 스무 보 이내로 접근하는 것이 금지되어 있으며, 다크로라고 불리는 노파가 족장과 접촉하는 모든 일을 대행한다. 일단 중재를 청하는 자는 다크로 에게 네발로 기어간다. 그리고 다크로는 다시 네 발로 기어서 추장에게 다가간다.

4

네발로 기어가는 야만인의 노예근성이 생긴 이 유는 본래 주인에 대한 두려움의 표출이었다. 그 러나 이 공포심에 다른 도덕적 요소가 더해지게 된다. 즉 익숙해짐에 따라 점차 네발로 기는 행위가 고통스럽지 않게 되고, 도리어 거기서 유쾌함을 느끼게 되어 마침내 종교적 숭배라고 할 수 있는 존경심으로 바뀌게 된 것이다. 본래 인간의 뇌수는 생물학적으로 그와 같은 성질을 가진다.

그리고 추장은 다른 인간 이상의 존재가 되어버린다.

나체 추장은 태양의 형제였다. 그리고 이 자격으로 인해 신하들 위에 군림하는 절대 권력을 쥐고 있었다. 추장의 장자는 태어나자마자 당시 어머니의 젖에 의존하고 있는 모든 영아의 주인으로 인식했다.

중앙아프리카에서도 크고 작은 부족의 추장들은 모두 신권을 가지고 있으며, 자유롭게 땅, 불, 바람, 물의 원소를 사역한다. 특히 비를 내리게 하는 기예를 습득하고 있다.

바텔 씨에 따르면, 루아곤에서는 밭에 비가 필요해지면 추장에게 소원을 빌고 하늘에 활을 쏘아달라고 부탁한다. 이는 구름에 대하여 그의 활동을 명령하는 것이다.

이때 주민들이 추장에게 비가 내리도록 기도하면 추장은 그 대가로 세금을 요구하는 등 갈등이 생긴다. "양을 바치지 않으면 비를 내리지 않겠다." 하고 으름장을 놓는다. 반대로 홍수 같은 경우에는 보리 몇 섬을 바치지 않으면 영겁의 폭풍우가 생긴다는 식으로 협박한다.

부사족의 추장이 유럽에서는 일부다처제를 금지하고 있다는 말을 듣고 "외부인에게는 그것도 좋을 수 있겠으나 추장에게는 말도 안 되는 일이다."라고 말했다고 한다.

아샨티족의 추장은 모든 법 위에 군림하며, 추장의 자식은 어떤 악행을 저질러도 처벌받지 않는다. 신하들은 추장을 위하여 죽는 것을 최고의 영광으로 여기고 있다.

이어서, 이 시대의 야만인들은 일반적으로 매우 형편없는 영혼 불멸이라는 관념을 가지고 있었다. 즉 사람이 죽은 뒤에도 얼마 동안은 살아 있다고 믿었다. 죽은 사람의 그림자가 어딘가에서 지상의 삶과 동일한 생활을 지속하고 있다고 믿었던 것이다.

이러한 천상의 생활은 특히 성인에게만 국한되어 있었다. 평민과 노예는 이 세상에서 죽고 끝나는 것이다. 그래서 크고 작은 부족의 추장이 죽으면 음식물, 무기, 노예, 여인 등 여러 가지를 미래의 생활을 위해 가져간다.

칼라이브 부족의 추장이 죽었을 때, 그의 아내 중 한 명이 함께 묻혔다. 그녀는 추장의 자식을 몇 명 낳았기 때문에 특별히 이 역할에 적합하다고 판단되었다고 한다.

한때 하와이에서, 하와이의 나폴레옹이라고 불리

던 학살왕 카메하메하가 죽었을 때, 수많은 인간을 강제로 희생시켰을 뿐만 아니라 수많은 충성스러운 신하들이 자살하거나 자해하여 불구가 되었다. 그 후 몇 년 동안 국민은 매년 기일에 송곳니를 뽑아서 카메하메하를 제사 지냈다.

베냉족 추장의 장례식에는 무덤 옆에 호리병 형태의 크고 깊은 구멍을 파고 입구에 수많은 노예와 하인을 집어넣어 굶어 죽게 한다.

아샨티족의 추장이 죽으면 친족들은 밖으로 달려나가서 길에서 만나는 사람들을 잡히는 대로 죽인다. 그런 다음 수백 또는 수천 명의 노예의 목을 졸라 죽인다. 그리고 때때로 무슨 일이 있을 때마다 천상의 추장에게 바치기 위하여 수많은 노예를 죽인다.

나는 너무나도 바보 같은 사실들을 열거했다. 요즘 같은 때에 이런 말을 해서 무슨 소용이 있겠느냐고 생각할 정도로 황당무계한 사실들을 나열했다. 그렇지만 여기서 나에게 한 마디 결론을 허락해 주었으면 한다.

주인을 기쁘게 하고, 주인을 맹종하고, 주인을 숭배한다. 이것이 원시시대부터 근대까지에 이르는 모든 사회 조직의 폭력과 공포 위에 세워진 유일무이한 도덕률이었다.

그리고 이 도덕률이 인류의 뇌수 안에 쉽사리 지워지지 않는 깊은 골을 뚫어 놓았다. 복종을 기본으로 하는 오늘날의 모든 도덕은 단적으로 이 노예근성의 잔재다.

정부의 형태를 바꾸거나 헌법의 조문을 고치는 것은 별것 아닌 일이다. 그러나 지난 수만 년 혹은 수십만 년 동안, 우리 인류의 뇌수에 새겨진 이 노예근성을 제거하는 것은 결코 쉬운 일이 아니다. 그러나 진정으로 우리가 자유인이 되기 위해서는 반드시 이 사실을 완성해야만 한다.

쇠사슬 공장

발 행 | 2024년 7월 9일
저 자 | 오스기 사카에(역. 이은)
펴낸이 | 한건희
펴낸곳 | 주식회사 부크크
출판사등록 | 2014.07.15.(제2014-16호)
주 소 | 서울 금천구 가산디지털1로 119, SK트윈타워 A동 305호
전 화 | 1670 - 8316
이메일 | info@bookk.co.kr

ISBN | 979-11-410-9399-0

www.bookk.co.kr
ⓒ 이은 2024
본 책은 저작자의 지적 재산으로서 무단 전재와 복제를 금합니다.